Spanish Is Fun

Cuaderno de ejercicios

Book B

Heywood Wald

Former Assistant Principal
Foreign Language Department
Martin Van Buren High School
New York City

Lori Langer de Ramirez, Ed.D.
http://www.miscositas.com

AMSCO SCHOOL PUBLICATIONS, INC.,
a division of Perfection Learning®

Cover design by Delgado and Company Inc.
Text design by Progressive Information Technologies
Typeset by Lapiz Digital Services

Copyright © 2017 by Perfection Learning®

Please visit our websites at:
www.amscopub.com and *www.perfectionlearning.com*

When ordering this book, please specify:
Softcover: ISBN 978-1-5311-0635-5 or **30929**
eBook: ISBN 978-1-5311-0638-6 or **30929D**

All rights reserved. No part of this book may be reproduced, stored in a retrieval system, or transmitted in any form or by any means, electronic, mechanical, photocopying, recording, or otherwise, without the prior permission of the publisher. For information regarding permissions, write to: Permissions Department, Perfection Learning, 2680 Berkshire Parkway, Des Moines, Iowa 50325.

1 2 3 4 5 6 7 8 9 EBM 23 22 21 20 19 18 17

Printed in the United States of America

Preface

This *Cuaderno de ejercicios* supplements the practice materials in SPANISH IS FUN, BOOK B. The vocabulary and structural elements are closely coordinated with parallel chapters in the textbook.

While some exercises use techniques similar to those in the basal text, others extend the range of the materials. The workbook format provides opportunity for writing practice and intensive homework. The fourth edition of *Cuaderno de ejercicios* provides a more varied range of exercises and uses numerous illustrations to facilitate comprehension. More open-ended, personalized exercises were added to make this an even more enjoyable text for students and teachers.

Contents

1 El cuerpo   1

2 ¿Qué tiempo hace?   7

3 Mi casa   16

4 La comida   23

5 ¿Dónde está?   31

6 Más números   38

7 Las diversiones   45

8 Fiesta   52

9 La ropa   60

10 Los animales   70

11 ¡Qué chico es el mundo!   76

12 Las asignaturas   85

1

EJERCICIO A

Draw a monster that corresponds to the following descriptions.

Tiene dos cabezas.

Tiene seis ojos.

Tiene nueve brazos.

Tiene dos narices.

Tiene cuatro estomagos.

Tiene ocho piernas.

Tiene ocho pies.

Tiene dos bocas.

Tiene cuatro lenguas.

Tiene doce manos.

Tiene veinte dedos.

Tiene quince orejas.

Tiene cinco corazones.

Tiene dos cuellos.

Tiene trece dientes.

© Perfection Learning® • No Reproduction Permitted

EJERCICIO B

Complete the sentences with the correct form of the verb **tener.**

1. En el mes de julio yo _____ mucho calor.

2. ¿Cuántos años _____ Ud.?

3. Las mujeres _____ el pelo largo.

4. Tú _____ que ir a la escuela. Es obligatorio.

5. Alicia no es mala. Uds. no _____ razón.

6. ¡Un millón de dólares en la lotería! ¡Qué suerte _____ ella!

7. ¿Tienes una soda? Yo _____ mucha sed.

8. Después de un día en la playa nosotros _____ mucha hambre.

9. Mi abuelo es viejo. Él _____ muchos años.

10. Es medianoche. La niña _____ sueño.

EJERCICIO C

Match the sentences with their Spanish equivalents. Write the matching letter in the space provided.

1. I'm hungry now.   _____   **a.** Tiene razón.

2. Are you thirsty?   _____   **b.** El perro tiene frío.

3. The dog is cold.   _____   **c.** Tengo ganas de ir al cine.

4. We have to work today.   _____   **d.** Tengo hambre ahora.

5. I feel like going to the movies. _____   **e.** Tenemos que trabajar hoy.

6. You are right.   _____   **f.** ¿Tienes sed?

7. They are wrong.   _____   **g.** Ella tiene suerte.

8. I'm not sleepy.   _____   **h.** La muchacha tiene 20 años.

9. She is lucky.   _____   **i.** No tengo sueño.

10. The young lady is 20 years old. _____   **j.** Ellos no tienen razón.

EJERCICIO D

Using the verb **tener,** tell what each person feels.

1. _____   2. _____

3. _____   4. _____

5. _____

EJERCICIO E

Label these parts of the body.

EJERCICIO F

Acróstico. Fill in the blanks in the puzzle on page 6 based on the images you see. Then read down the boxed column for the mystery phrase.

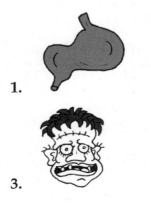

1.

2.

3.

4.

5.

6.

7.

8.

9.

10.

11.

12.

13.

14.

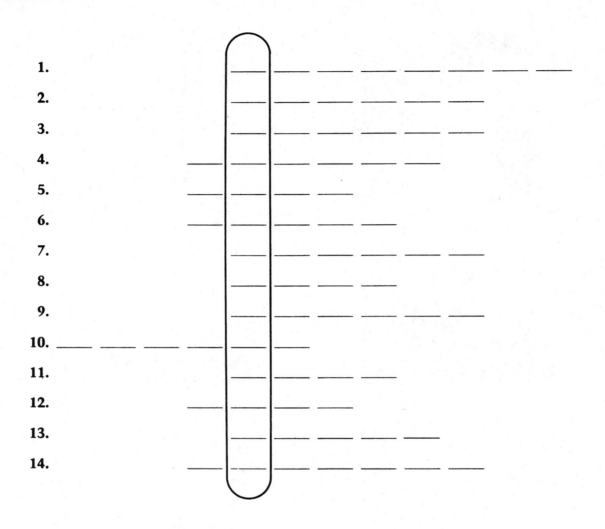

1. ____ ____ ____ ____ ____ ____ ____ ____

2. ____ ____ ____ ____ ____ ____

3. ____ ____ ____ ____ ____

4. ____ ____ ____ ____ ____

5. ____ ____ ____

6. ____ ____ ____

7. ____ ____ ____ ____

8. ____ ____ ____

9. ____ ____ ____ ____

10. ____ ____ ____ ____ ____ ____

11. ____ ____ ____

12. ____ ____ ____

13. ____ ____ ____ ____

14. ____ ____ ____ ____ ____ ____

2

EJERCICIO A

Complete with the correct forms of **hacer.**

1. ¿Qué _____ Uds. hoy?

2. En julio y agosto _____ calor.

3. Esta noche _____ mucho viento.

4. ¿_____ Uds. ejercicio?

5. Nosotros _____ muchos exámenes en la escuela.

6. Tengo que _____ las tareas.

7. La niña _____ muchas preguntas.

8. Ellos _____ planes para las vacaciones.

9. Yo siempre _____ una lista.

10. Mi hermana y yo _____ la comida esta noche.

EJERCICIO B

Write sentences using the verb **hacer** for each of the following subjects.

1. Uds. _____

2. Yo _____

3. Ud. _____

4. Ud. y yo _____

5. Mis tíos _____

6. Tú _____

7. María y Luisa _____

8. El dentista _____

9. Nosotros _____

10. Los profesores _____

EJERCICIO C

Answer the following questions in complete Spanish sentences.

1. ¿Qué tiempo hace en el verano?

_____

2. ¿En qué meses hace calor?

_____

3. ¿Hace sol a medianoche?

_____

4. ¿Cuándo nieva?

_____

5. ¿En qué estación hace frío?

_____

6. ¿En qué parte del día hace sol?

_____

7. ¿Hace mucho frío en junio?

_____

8. ¿Sale Ud. de la casa cuando llueve?

_____

9. ¿En qué mes hace viento?

_____

10. ¿Qué hace Ud. cuando hace buen tiempo?

_____

EJERCICIO D

¿Qué tiempo hace?

1. _____

2. _____

3. _____

4. _____

5. _____

6. _____

7. _____

8. _____

9. _____

10. _____

EJERCICIO E

Name the season and months for each set of pictures.

1.

meses _____

_____

estación _____ _____

2.

meses _____

_____

estación _____ _____

3.

meses _____

_____

estación _____ _____

4.

meses _____

_____

estación _____ _____

EJERCICIO F

Answer the questions about the following pictures.

1.  ¿Qué tiempo hace?

_____

2.  ¿Es primavera?

_____

3.  ¿Hace buen tiempo?

_____

4.  ¿Hace calor?

_____

5.  ¿Es verano?

6. ¿Hace mucho frío?

7.  Hace sol?

8. ¿Qué estación del año es?

EJERCICIO G

Using the chapter vocabulary, fill in the chart below with words that correspond to each month. Be sure to include seasons, weather expressions, and holidays (Hint!: You may repeat many of the phrases in different months).

ENERO	FEBRERO	MARZO	ABRIL
MAYO	**JUNIO**	**JULIO**	**AGOSTO**
SEPTIEMBRE	**OCTUBRE**	**NOVIEMBRE**	**DICIEMBRE**

EJERCICIO H

Write the script for a weather report for the next 2 days in your town or city. Include what the weather is like each day. Perform your weather report for the class!

EJERCICIO I

Brainstorm all the things you and your friends do or make using the verb **hacer,** by writing words and phrases around each of the figures below. Follow the model:

Yo hago…

una lista
la tarea

Mis amigos hacen…

3

EJERCICIO A

Identify the rooms.

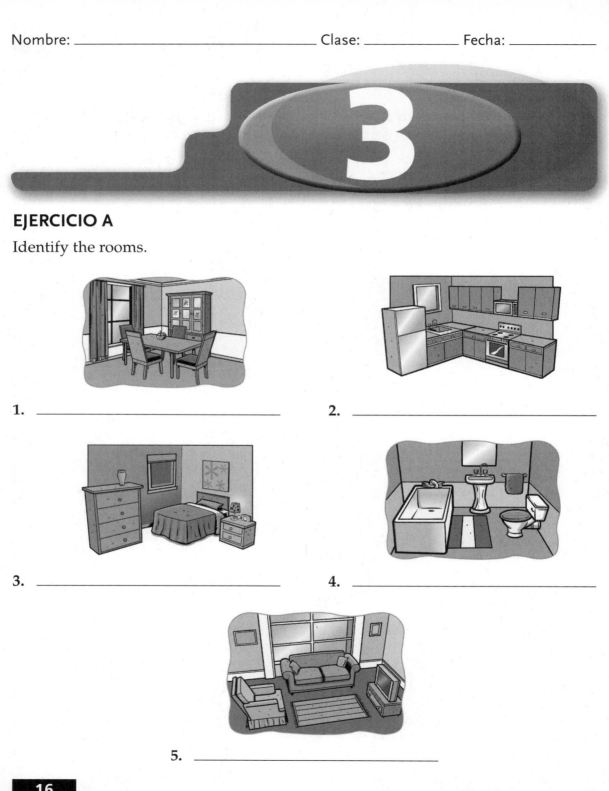

1. _____

2. _____

3. _____

4. _____

5. _____

© Perfection Learning® • No Reproduction Permitted

EJERCICIO B

Write a sentence describing each piece of furniture. You can include some of the following adjectives.

pequeño   viejo   antiguo   elegante
grande   feo   moderno   cómodo
bonito   nuevo

1. _____

2. _____

3. _____

4. _____

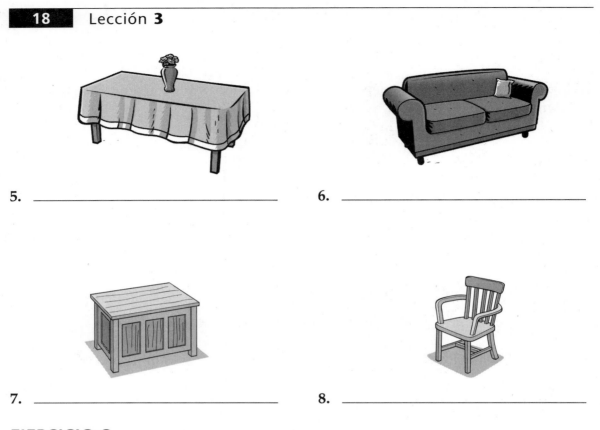

5. _____ 6. _____

7. _____ 8. _____

EJERCICIO C

Match the object with the room, then write a sentence following the model.

1. la cama   a. el comedor   → **La cama está en el dormitorio.**

2. el sillón   b. la silla

3. la nevera   c. la sala

4. la mesa   d. el dormitorio

5. la toalla   e. el baño

_____

_____

_____

_____

EJERCICIO D

Label each article and rooms, and then connect the pictures.

Furniture  Rooms of house

EJERCICIO E

Answer the questions using the Spanish forms of possessive adjectives according to the clues in parentheses.

EXAMPLE: ¿De quién es la escuela? (de las niñas) ➔ **Es su escuela.**

1. ¿De quién es el automóvil? (nosotros) _____

2. ¿De quién es la computadora? (ellas) _____

3. ¿De quién son los libros? (él) _____

4. ¿De quién son las cartas? (Uds.) _____

5. ¿De quién es la comida? (yo) _____

6. ¿De quién es el periódico? (tú) _____

7. ¿De quién es la casa? (ella) _____

8. ¿De quién son las plumas? (Maribel) _____

9. ¿De quién son las bebidas? (ellos) _____

10. ¿De quién es el regalo? (yo) _____

EJERCICIO F

Change the expressions in boldface to the plural. Make all other necessary changes.

EXAMPLES: Hablo con **mi amigo**.
Hablo con *mis amigos*.
Mi hija está en la playa.
Mis hijas están en la playa.

1. La niña toma **su helado**.

_____

2. ¿Dónde está **mi hermano**?

_____

3. **Nuestro tío** es rico.

   _____

4. El alumno aprende **su lección.**

   _____

5. No bailo con **su prima.**

   _____

6. ¿Tienes **tu cuaderno?**

   _____

7. **Su hija** no come carne.

   _____

8. **Nuestro hermano** estudia mucho.

   _____

9. **Mi padre** no está aquí.

   _____

10. ¿Preparas **tu tarea**?

   _____

EJERCICIO G

Rewrite the following phrases, making appropriate changes in the possessive adjectives.

EXAMPLE: mis hermanas (familia)
         mi familia

1. su casa (libros) _____

2. nuestros compañeros (amiga) _____

3. tus hijos (profesor) _____

4. mi computadora (lápices) _____

5. sus ideas (cuaderno) _____

6. nuestra escuela (padres) _____

7. tu blusa (ojos) _____

8. su perro (gato) _____

9. nuestras amigas (bicicleta) _____

10. mis problemas (dinero) _____

EJERCICIO H

Answer the following personal questions.

En tu casa, ¿dónde está/están...

1. tu cama?

   _____

2. el cepillo de dientes de tu padre?

   _____

3. los juguetes de tu hermano/a?

   _____

4. la mochila de tu hermano/a?

   _____

5. los libros de tus abuelos?

   _____

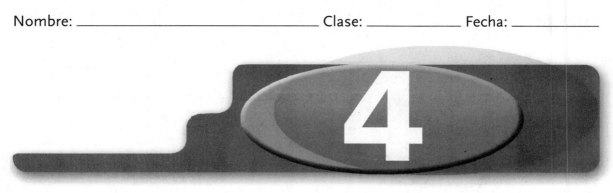

Write a sentence for each subject indicated by the pronoun in parentheses. Use the verb **gustar**.

EJERCICIO A

Fill in the plate with food in each category from the vocabulary on Lesson 16 of the student's book.

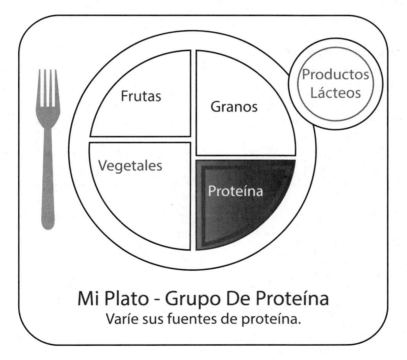

Mi Plato - Grupo De Proteína
Varíe sus fuentes de proteína.

© Perfection Learning® • No Reproduction Permitted

Frutas	Granos

Vegetales	Proteína

EJERCICIO B

EXAMPLE: (yo) las flores
Me gustan las flores.

1. los sombreros no (yo) _____

2. el cereal no (tu) _____

3. la leche no (ellos) _____

4. las vacaciones no (ella) _____

5. el pescado no (Ud.) _____

6. la ensalada no (nosotros) _____

7. los actores no (ellas) _____

8. el cine no (el profesor Juarez) _____

9. las legumbres (yo) _____

10. el rosbif (nosotras) _____

EJERCICIO C

Replace the persons before **gustar** with the new ones in parentheses, making all necessary changes.

EXAMPLE: A Roberto y Fernando les gusta el café.
(ellos) **A ellos les gusta el café.**
(Onidina) **A Onidina le gusta el café.**

1. (tú) _____

2. (Ud.) _____

3. (Uds.) _____

4. (nosotros) _____

5. (ellos) _____

6. (ellas) _____

7. (Pablo) _____

8. (Jorge y Ana) _____

9. (mis padres) _____

10. (su hermano) _____

EJERCICIO D

Complete the sentences.

EXAMPLE: (los alumnos) **A los alumnos les gusta el helado.**

1. (nosotros) _____ las clases.

2. (ellos) _____ los huevos fritos.

3. (Ud.) _____ el jugo de naranja.

4. (yo) _____ el azúcar.

5. (Elena) _____ el tocino.

6. (Ricardo) _____ el pudín de chocolate.

7. (tú) _____ los vegetales.

8. (nosotros) _____ la sopa.

9. (ella) _____ la tostada.

10. (Uds.) _____ las papas fritas.

EJERCICIO E

By looking at the pictures, tell what the following people like to do.

EXAMPLE:

(Hector) **A Héctor le gusta mirar la televisión.**

1. (Antonio) _____

2. (Graciela y Andrés) _____

3. (mis padres) _____

4. (Julio) _____

5. (Mercedes) _____

6. (Rosalía) _____

7. (los niños) _____

EJERCICIO F

Buscapalabras. Can you find the twenty words related to eating? Circle them from left to right, right to left, up or down, and then list them below.

N	M	A	Y	O	N	E	S	A	F
T	V	Z	O	S	A	V	E	F	R
O	l	Ú	C	E	R	E	A	L	I
S	N	C	E	N	A	H	A	E	J
T	O	A	P	A	N	U	P	C	O
A	R	R	O	Z	J	G	O	H	L
D	A	B	L	C	A	O	S	E	E
A	S	A	L	G	H	A	D	O	S
I	J	M	O	S	T	A	Z	A	M
U	V	A	P	A	P	A	S	T	É

1. _____   11. _____

2. _____   12. _____

3. _____   13. _____

4. _____   14. _____

5. _____   15. _____

6. _____   16. _____

7. _____   17. _____

8. _____   18. _____

9. _____   19. _____

10. _____   20. _____

EJERCICIO G

Write a list of activities that you like to do in each of the four seasons. Use the verb **gustar**.

<table>
<tr><td align="center">**la primavera**</td><td align="center">**el verano**</td></tr>
</table>

EXAMPLE: **Me gusta jugar al béisbol.**

_____   _____

_____   _____

_____   _____

_____   _____

<table>
<tr><td align="center">**el otoño**</td><td align="center">**el invierno**</td></tr>
</table>

_____   _____

_____   _____

_____   _____

_____   _____

EJERCICIO A

Crucigrama.

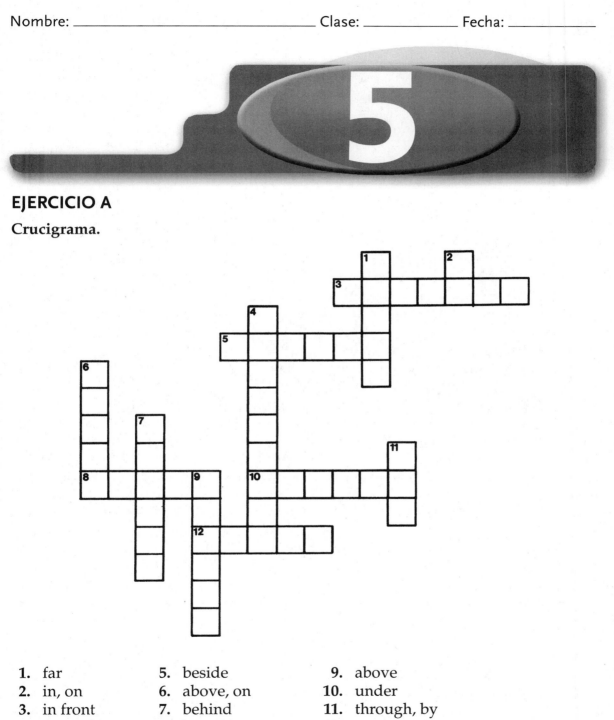

1. far	**5.** beside	**9.** above
2. in, on	**6.** above, on	**10.** under
3. in front	**7.** behind	**11.** through, by
4. around	**8.** between	**12.** near

© Perfection Learning® • No Reproduction Permitted

EJERCICIO B

¿Sí o no? The following sentences should describe the picture. If the description is correct, write **cierto**. If not, correct the sentence.

1. La profesora está detrás de la clase.

   _____

2. La alumna está cerca de la puerta.

   _____

3. La pluma está sobre el escritorio.

   _____

4. El lápiz está en la mano de la alumna.

   _____

5. La profesora está al lado de la ventana.

   _____

6. Los libros están debajo del escritorio.

   _____

7. El mapa está encima del reloj.

   _____

8. El reloj está detrás de la pared.

   _____

9. La silla está delante del escritorio.

   _____

10. El mapa está entre la puerta y la ventana.

   _____

EJERCICIO C

José has **una hermanita** who always contradicts him and says the opposite. Tell what she says.

1. José: La tienda está cerca de aquí.

   Hermanita: _____

2. José: Mamá está delante de la puerta.

   Hermanita: _____

3. José: Tu blusa está debajo de la cama.

   Hermanita: _____

4. José: La bicicleta está en frente de la casa.

   Hermanita: _____

EJERCICIO D

Tell where each place is on the map.

EXAMPLE: ¿Dónde está el teatro?
El teatro está al lado de la plaza.

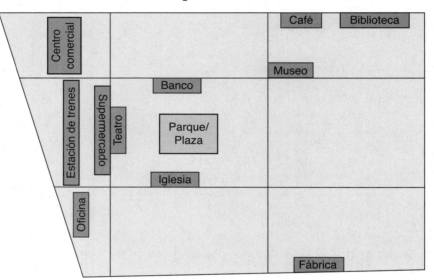

1. ¿Dónde está el café? _____

2. ¿Dónde está la fábrica? _____

3. ¿Dónde está la iglesia? _____

4. ¿Dónde está la biblioteca? _____

5. ¿Dónde está la oficina? _____

6. ¿Dónde está el supermercado? _____

7. ¿Dónde está la estación de trenes? _____

8. ¿Dónde está el banco? _____

9. ¿Dónde está el centro comercial? _____

10. ¿Dónde está el parque? _____

EJERCICIO E

Las diez diferencias. The two pictures on page 134 may look alike at first glance, but there are ten differences. Can you spot them? Describe them by completing the following sentences.

PRIMER CUADRO	SEGUNDO CUADRO

1. Del otro lado de la calle hay una

_____.

2. La persona que sale de la panadería
es una _____

3. La puerta tiene el número

_____.

4. Hay un _____
en la calle.

5. Un muchacho _____
por la calle.

6. La puerta está _____.

7. El hombre no lleva _____.

8. No hay _____ en
el escaparate (*display window*) de
la panadería.

9. El animal es un _____.

10. La puerta de la carnicería no tiene

_____.

Del otro lado de la calle hay una

_____.

La persona que sale de la panadería
es una _____.

La puerta tiene el número

_____.

Hay dos _____.
en la calle.

Un muchacho _____.
en la calle.

La puerta está _____.

El hombre lleva _____.

En el escaparte de la panadería se
ven (*one sees*) _____.

El animal es un _____.

La puerta de la lechería tiene una

_____.

EJERCICIO F

Answer the following questions about what you can do in each of these places around town.

1. ¿Qué haces en el café?

   _____

2. ¿Qué hacen en la fábrica?

   _____

3. ¿Qué hacemos en la biblioteca?

   _____

4. ¿Qué hacen en la oficina?

   _____

5. ¿Qué hacemos en el supermercado?

   _____

6. ¿Qué hace el hombre en la estación de trenes?

   _____

7. ¿Qué hace la mujer en la terminal de autobuses?

   _____

8. ¿Qué hacemos en el aeropuerto?

   _____

9. ¿Qué hago en el banco?

   _____

10. ¿Qué hacemos en el centro comercial?

   _____

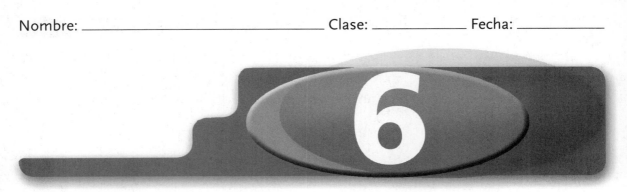

EJERCICIO A

The sales staff of a leading electronics store is doing an hourly tally of the number of customers that have come into the videogame department during its inventory sale. Match the times with the numbers of visitors based on the information below.

Venta de videojuegos

10am	_18_ personas
11am	_27_ personas
12pm	_34_ personas
1pm	_46_ personas
2pm	_57_ personas
3pm	_69_ personas
4pm	_73_ personas
5pm	_85_ personas
6pm	_98_ personas
7pm	_112_ personas

1. a las once
2. a la una
3. a las tres

a. setenta y tres personas
b. veintisiete personas
c. ochenta y cinco personas

© Perfection Learning® • No Reproduction Permitted

4. a las doce	**d.** cuarenta y seis personas
5. a las cuatro	**e.** cincuenta y siete personas
6. a las cinco	**f.** noventa y ocho personas
7. a las dos	**g.** dieciocho personas
8. a las seis	**h.** ciento doce personas
9. a las diez	**i.** sesenta y nueve personas
10. a las siete	**j.** treinta y cuatro personas

EJERCICIO B

Crucigrama de números. In the puzzle are the numbers 20 to 100 by 10's. Can you find them all?

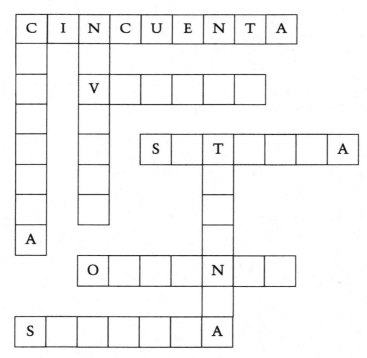

EJERCICIO C

Write out the missing numbers for the following series.

1. diez, doce, _____, _____,

_____, veinte, _____.

2. treinta, cuarenta, _____, _____,

_____, _____,

_____, cien.

3. quince, veinte, _____, _____,

_____, _____, cuarenta y cinco,

_____, _____, sesenta.

4. cien, noventa, _____, _____,

_____, cincuenta, _____,

_____, veinte, _____.

5. tres, seis, nueve, _____, _____,

_____, veintiuno.

EJERCICIO D

A Spanish radio announcer is reading off the numbers of the following winning tickets. Write them in Spanish.

1.

LOTERÍA NACIONAL
10   33   54

_____

_____

_____

2.

LOTERÍA NACIONAL
17   96   81

_____

_____

_____

3.

LOTERÍA NACIONAL
75   20   66

_____

_____

_____

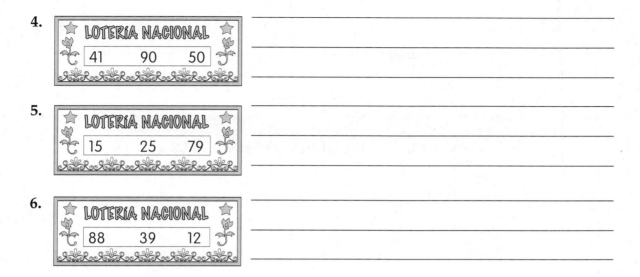

4. LOTERÍA NACIONAL   41   90   50

5. LOTERÍA NACIONAL   15   25   79

6. LOTERÍA NACIONAL   88   39   12

EJERCICIO E

Express how much each item costs.

EXAMPLE: la mesa = 45 pesos   -->   **La mesa cuesta ochenta y cinco pesos.**

1. la mochila = 15 pesos _____

2. el sofá = 63 pesos _____

3. la nevera = 100 pesos _____

4. la alfombra = 54 pesos _____

5. la bicicleta = 87 pesos _____

6. el libro = 7 pesos _____

7. el sillón = 72 pesos _____

8. la computadora = 98 pesos _____

EJERCICIO F

Write out the temperatures for each of the following cities according to the illustrations.

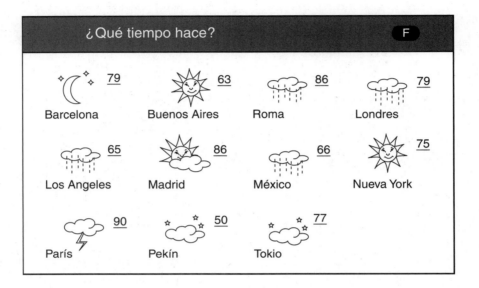

¿Qué tiempo hace?   F

| Barcelona | Buenos Aires | Roma | Londres |
| 79 | 63 | 86 | 79 |

| Los Angeles | Madrid | México | Nueva York |
| 65 | 86 | 66 | 75 |

| París | Pekín | Tokio |
| 90 | 50 | 77 |

EXAMPLE: Pekín   **cincuenta grados**

1. Tokio   _____

2. Buenos Aires   _____

3. Barcelona   _____

4. Roma   _____

5. Londres   _____

6. Los Angeles   _____

7. Madrid   _____

8. México   _____

9. Nueva York   _____

10. París   _____

EJERCICIO G

Julia has a job figuring out bills according to a price list. The manager wants all numbers written out to avoid errors.

```
CAFETERIA « LA ESTRELLA »
                ★
           LISTA DE PRECIOS
Refresco.....................$   2.00
Hamburguesa................$   5.60
Sandwich.....................$   4.25
Perro caliente...............$   2.00
Helado.......................$   2.00
```

EXAMPLE:

2 refrescos	*dos sesenta*
1 sándwich	*dos veinticinco*
1 hamburguesa	*uno sesenta*
Total	*seis cuarenta y cinco*

2 hamburguesas	_____
2 refrescos	_____
1. Total	_____

1 perro caliente	_____
1 refresco	_____
2. Total	_____

1 perro caliente	_____
1 hamburguesa	_____
2 helados	_____
3. Total	_____

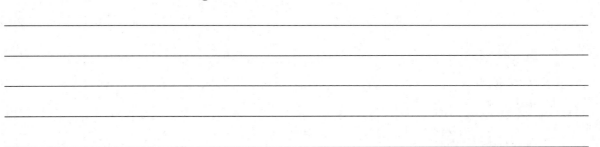

4.
2 sándwiches	_____
2 refrescos	_____
Total	_____

5.
1 sándwich	_____
1 refresco	_____
1 helado	_____
Total	_____

6.
2 perros calientes	_____
2 helados	_____
Total	_____

EJERCICIO H

Your new key pal wants to know about your family, friends and place where you live. Write him/her a message.

_____

_____

_____

_____

_____

7

EJERCICIO A

Using the correct form of **ir**, tell where everyone is going.

1. Tú / mucho al cine

   _____

2. Uds. / al estadio

   _____

3. Josefina / a la playa en el verano

   _____

4. Tu mejor amigo / con frecuencia a los conciertos

   _____

5. Yo / a la fiesta del sábado

   _____

6. Tú y tus amigos / a México en las vacaciones

   _____

7. Nosotros / al parque zoológico

   _____

8. La clase de español / al museo

   _____

9. Susana y Javier / a nadar en la piscina

_____

10. Mis hermanos y hermanas / a la discoteca con sus amigos

_____

EJERCICIO B

Look at the map. Using the correct form of **ir**, choose a place where the people on the next page are going.

EXAMPLE: yo   **Yo voy a Nueva York.**

1. Mario _____

2. tú _____

3. él _____

4. ella _____

5. Ud. _____

6. nosotros _____

7. Uds. _____

8. ellos _____

9. María _____

10. Jorge y su mamá _____

EJERCICIO C

Complete with the proper form of **ir**.

1. Yo _____ al cine.

2. Luis y Ana _____ al concierto.

3. ¿_____ ella al parque?

4. Francisco y yo _____ al estadio.

5. Mi madre _____ al teatro.

6. ¿_____ Uds. a la discoteca?

7. La familia no _____ al circo.

8. Tú _____ a la fiesta, ¿no?

9. Rafael y yo _____ a la piscina.

10. Ellos _____ a la playa.

EJERCICIO D

Going places. All these people are going somewhere, but by different means. Can you tell where and how in Spanish?

1. Marta va a la escuela a pie.

2. Mis primas _____.

3. El presidente _____

_____.

4. Mi mamá _____

_____.

5. Los muchachos _____

_____.

6. El doctor Méndez _____

_____.

7. Los turistas _____ **8.** Los hombres y las mujeres _____

_____. _____.

EJERCICIO E

Say where each person is going and at what time.

EXAMPLE: Ellos / el cine / 9 pm   **Ellos van al cine a las nueve de la noche.**

1. yo / la discoteca / 10 pm

_____

2. tú / el teatro / 8:30 am

_____

3. ella / el concierto / 11:15 pm

_____

4. nosotros / la fiesta / 7:10 pm

_____

5. yo / el estadio / 3 pm

_____

6. mis padres / el circo / 2:20 pm

_____

7. Ud. / la piscina / 11:45 am

_____

8. Nuestros amigos / la playa / 12:00 pm

_____

9. Uds. / el parque de atracciones / 9:30 am

_____

10. Mi amigo y yo / el parque zoológico / 10:35 am

_____

EJERCICIO F

Each of your friends wrote a blog post about what they most like to do on the weekend. Can you match each illustration with its corresponding description?

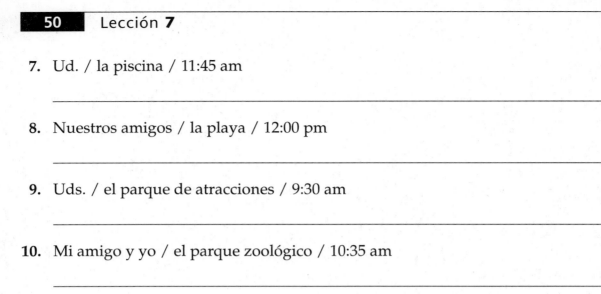

_____   _____   _____   _____

1. Cuando van todos mis amigos juntos, es muy divertido. Bailamos y comemos.

2. Me encanta ver las obras diferentes. Los actores tienen mucho talento.

3. Las películas que más me gustan son románticas. Voy con mi amiga todos los viernes.

4. Me gusta mucho nadar y tomar el sol. A veces voy con comida para almorzar en la arena.

EJERCICIO G

Fill in the blanks with the correct form of the verb ir.

Un fin de semana típico

Los viernes mis amigos y yo _____ al cine para ver una película.

Después nosotros _____ al café para charlar y comer y tomar

algo. Los sábados yo _____ al parque para jugar fútbol y mi

hermana _____ a su clase de baile. Por la tade mis padres

_____ a la biblioteca y yo _____ a la casa de mi

mejor amigo, Guille. Los domingos mis amigos y yo _____ al

centro comercial y mi hermana _____ a la casa de su mejor amiga

para jugar. ¿Y tú? ¿Adónde _____?

8

EJERCICIO A

Your best friend wrote a list of items she needs for an upcoming surprise party, but she always asks for too much! Look at her list and divide it into things she wants (**quiere**) and things she needs (**necesita**).

una orquesta famosa

una piñata con muchos dulces

comida y refrescos para todos

un payaso

serpentinas

unos vasos plásticos

mesas extras

flores para todas las mesas

muchas sillas

globos de muchos colores

una torta de cumpleaños

música para bailar

Quiere...	Necesita...

© Perfection Learning® • No Reproduction Permitted

EJERCICIO B

Write what each person thinks about the different topics.

EXAMPLE: Ellos / el baile / divertido
Ellos piensan que el baile es divertido.

1. Ellas / la profesora / magnífico

   _____

2. Tú / el regalo / bonito

   _____

3. Mamá / la fiesta / excelente

   _____

4. Ud. / el partido de fútbol / aburrido

   _____

5. Nosotros / el cumpleaños / alegre

   _____

6. Uds. / los chicos / inteligente

   _____

7. Las muchachas / la contaminación / peligroso

   _____

8. Tú y yo / la película / interesante

   _____

9. Yo / la clase de español / fácil

_____

10. Ella / la comida de la cafetería / deliciosa

_____

EJERCICIO C

Using the correct form of the verb **pensar**, tell what everyone is thinking about.

EXAMPLE: **Jorge piensa en su auto nuevo.**

1. Yo _____.   **2.** Tú _____.

3. Él _____.   **4.** Ella _____.

5. Ud. _____.

6. Nosotros _____.

7. Uds. _____.

8. Ellos _____.

9. Luisa _____.

10. Jaime y su papá _____.

EJERCICIO D

Complete with the proper form of **poder**. Tell what each one can do.

EXAMPLE: **María puede cantar.**

1. Yo _____

2. Paco y Pepe _____

3. ¿ _____ Uds. _____?

4. Mi hermana y yo _____

5. El médico _____

6. ¿ _____ tú _____?

7. Mi mamá _____

8. Ud. _____

9. Nosotros _____

10. Ellas _____

EJERCICIO E

Un diálogo incompleto. Your mother and you are discussing what you're going to get at the supermarket. Complete the dialog.

Mamá: Voy al supermercado. ¿Qué necesitamos?

Usted: _____

Mamá: ¿Puedes pensar en otras cosas?

Usted: _____

Mamá: Bueno, voy en media hora. ¿Qué piensas hacer ahora?

Usted: _____

Mamá: ¿Puedes ir también?

Usted: _____

Mamá: Entonces, no hay problema. Vamos.

Usted: _____

EJERCICIO F

Write two lists in Spanish as directed below. Each list must contain at least six items.

1. You're having a party at your house. In Spanish, list some of the foods you might want to buy.

    _____   _____

    _____   _____

    _____   _____

2. Your parents went away for the weekend and have left you some money for groceries. List some of the things you would buy.

    _____   _____

    _____   _____

    _____   _____

EJERCICIO A

You are at the department store and you would like to try on the same clothing as the mannequin is wearing. Tell the store clerk which articles of clothing you would like to try on.

Modelo: Yo quiero probar … esa chaqueta, etc.

_____

_____

_____

_____

© Perfection Learning® • No Reproduction Permitted

EJERCICIO B

Mateo and Gloria are going shopping for outfits for a big party. Fill in their dialogue with the missing words according to the hints in parentheses.

Mateo: Me gusta _____ traje y _____ corbata.
         1. (that)   **2.** (that)

Gloria: ¿No te gusta más _____ chaqueta?
                           3. (that)

Mateo: No sé. Me gustan mucho _____ pantalones y
                                4. (those)

         _____ camisa.
         5. (that)

Gloria: ¿Y qué te parece _____ falda y _____ blusa?
                          6. (this)   **7.** (this)

Mateo: Me gusta la falda, pero prefiero _____ vestido con
                                          8. (this)

         _____ zapatos.
         9. (these)

Gloria: Tienes razón. Y _____ suéter va bien con el vestido.
                         10. (this)

EJERCICIO C

You're walking down the street with your little sister. You point out things to her as you go.

EXAMPLE: **Mira aquel autobús.**

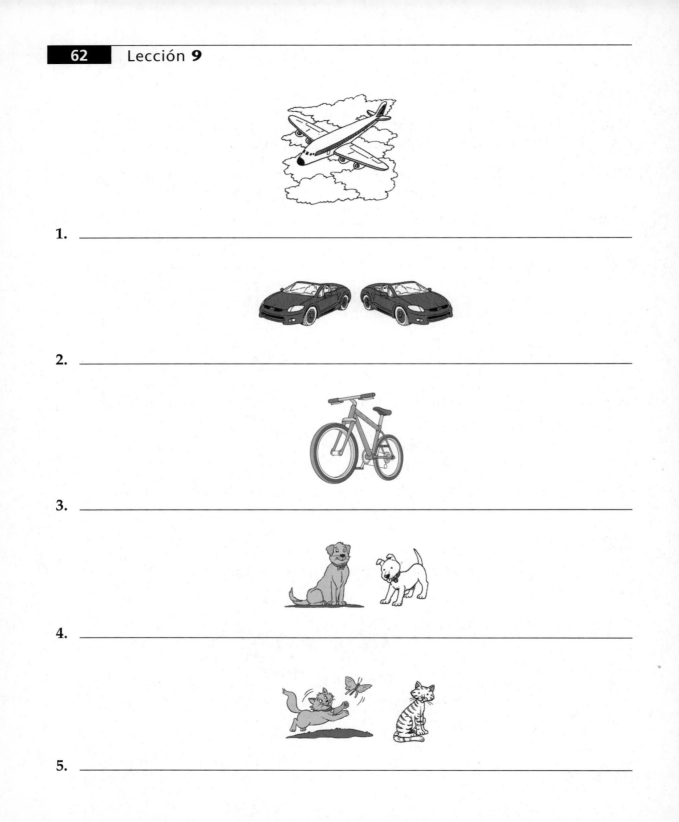

1. _____

2. _____

3. _____

4. _____

5. _____

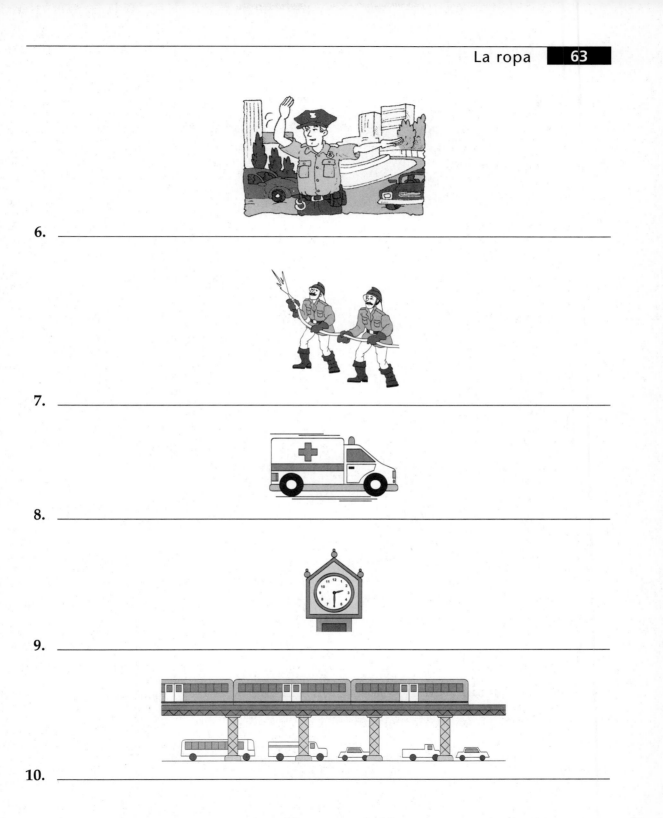

6. _____

7. _____

8. _____

9. _____

10. _____

EJERCICIO D

Match each part of the body in the left column with an appropriate article of clothing in the right column. Sometimes more than one clothing item is possible. Write the matching letters in the space provided.

1. el cuerpo	_____	**a.**	el traje
2. la cabeza	_____	**b.**	la blusa
3. el pelo	_____	**c.**	el cinturón
4. la mano	_____	**d.**	el suéter
5. los dedos	_____	**e.**	el vestido
6. la pierna	_____	**f.**	la falda
7. el pie	_____	**g.**	los zapatos
8. el cuello	_____	**h.**	las medias
9. el brazo	_____	**i.**	el sombrero
10. el pecho	_____	**j.**	los guantes
11. el estómago	_____	**k.**	el abrigo
		l.	la chaqueta
		m.	la corbata
		n.	los pantalones
		o.	los calcetines
		p.	la camisa

EJERCICIO E

Complete the sentences in Spanish.

1. (red shirt) Me gusta tu _____.

2. (T-shirt) No llevo _____.

3. (new shoes) ¿Quieres los _____?

4. (gloves) Cuando hace frío ella lleva _____.

5. (black suit) Mi padre necesita un _____.

6. (pretty tie) Ricardo lleva una _____.

7. (bathing suit) Eva compra un _____.

8. (dress) Mi _____ es azul.

9. (socks) Queremos comprar _____.

10. (jacket) No me gusta su _____.

EJERCICIO F

Diálogo incompleto. A customer is being waited on in a clothing store. Complete the dialog taking the part of the customer.

Dependiente: Buenas tardes. ¿En qué puedo servirle?

Usted: _____
         (Say that you are looking for a nice shirt.)

Dependiente: Tenemos una buena selección en todos los colores. ¿Cuál quiere Ud?

Usted: _____
         (Make your selection.)

Dependiente: Quiere Ud. algo más?

Usted: _____
         (Say you need a tie to go with the shirt.)

Dependiente: Me parece que esta corbata va muy bien con la camisa. ¿Qué más desea Ud.?

Usted: _____
         (Say that's all you want for now.)

EJERCICIO G

Crucigrama de la ropa.

HORIZONTAL	VERTICAL
1. shirt	**2.** overcoat
3. sweater	**4.** stockings
7. pants	**5.** shoes
8. skirt	**6.** socks
9. tie	
10. suit	
11. blouse	
12. dress	

EJERCICIO H

Here's a well-dressed family. List what each member is wearing today.

Robertico	José	Nancy	Pepito	Luisita
_____	_____	_____	_____	_____
_____	_____	_____	_____	_____
_____	_____	_____	_____	_____
_____	_____	_____	_____	_____
_____	_____	_____		_____
	_____	_____		

EJERCICIO I

Las siete diferencias.

Nelida and Minerva are attending fashion school. They were told to dress up a set with mannequins. Here's the result. Can you spot differences in their work?

(1)

(2)

1. _____
2. _____
3. _____
4. _____
5. _____
6. _____
7. _____

EJERCICIO J

Each of these advertisements is missing part of the store name. Can you guess each store name by skimming the words in the advertisements?

_____ Coatzingo

Vendemos todo tipo de pan, tostadas y panecillos para su casa.

1.

_____ Mediterráneo

Vengan a comprar los mariscos y pescados más frescos y sabrosos.

2.

_____ Amazonas

¡Tenemos flores, plantas y más para todas sus celebraciones y fiestas!

3.

_____ Paraíso

Ricuras de Azúcar ¡Niños! ¡Aquí tienen todos los dulces que más les gustan! Chocolate, bonbones, paletas y mucho más…

4.

_____ La Huerta

Les ofrecemos las manzanas más rojas, las naranjas más jugosas, y las fresas más ricas… de la huerta a tu mesa.

5.

_____ El Rancho

Carne de res, carne de cerdo, pollo y ternera…. Tenemos todo para su fogata y para su familia.

6.

10

EJERCICIO A

Classify these animals according to their habitat.

el mono   el pato   el león   el toro
el pájaro   el mono   el perro   la vaca

el agua	la tierra	el aire
_____	_____	_____
_____	_____	_____
_____	_____	_____
_____	_____	_____

EJERCICIO B

Complete the following sentences using the verb **decir**.

1. Ellos _____ que los perros son bonitos.

2. Ud. _____ que los caballos son rápidos.

3. Los niños _____ que los conejos son adorables.

4. Uds. _____ que los lobos son feroces.

5. Nuestro profesor _____ que los monos son cómicos.

6. Juan Carlos y yo _____ que los toros son fuertes.

7. Mis padres _____ que los elefantes son enormes.

© Perfection Learning® • No Reproduction Permitted

8. Tú _____ que los patos son interesantes.

9. Mi abuela _____ que los leones son feroces.

10. Sus hijos _____ que los pájaros son bonitos.

EJERCICIO C

There is a lot of popular wisdom surrounding animals. See if you agree with each statement.

	Cierto	Falso
1. Los ratones son muy grandes.	☐	☐
2. La vaca pone huevos deliciosos.	☐	☐
3. Los pájaros son feroces.	☐	☐
4. Los leones son tranquilos.	☐	☐
5. Los zorros son inteligentes.	☐	☐
6. Los elefantes son fuertes.	☐	☐
7. Los gatitos son adorables.	☐	☐
8. Los tigres son feroces	☐	☐
9. Los burros transportan a las personas.	☐	☐
10. Los puercos cantan bonito.	☐	☐

Now write five statements about animals that you believe to be true.

1. _____

2. _____

3. _____

4. _____

5. _____

EJERCICIO D

There are many animals in this picture. Do you know the names of all of them?
Fill in their names on the labels.

EJERCICIO E

Diálogo incompleto. A father is talking to his son about a trip that the son took to the zoo with his class. Take the part of the son and complete the dialog.

Papá: ¿Te gusta el parque zoológico?

Hijo: _____
(Say yes and tell why.)

Papá: ¿Qué animales te gustan más?

Hijo: _____
(Indicate which ones.)

Papá: ¿Qué otras actividades hacen ustedes?

Hijo: _____
(Name two activities.)

Papá: ¿Quieres ir al parque zoológico el domingo?

Hijo: _____
(Express gratitude, but indicate you want to go somewhere else.)

EJERCICIO F

Animals make different sounds in Spanish. For example, in English a dog says "Bow wow," while in Spanish a dog says "Guau, guau." Match the sounds with the animals that you think make each one (hint: try saying them out loud). Then write a sentence using the verb **decir**.

EXAMPLE: **El perro dice "guau-guau".**

1.	cerdo	**a.**	grrr, grrrgr
2.	gallina	**b.**	mu, muuu
3.	gato	**c.**	oinc-oinc
4.	león	**d.**	coc co co coc
5.	pato	**e.**	miau
6.	vaca	**f.**	cuac cuac

1. _____

2. _____

3. _____

4. _____

5. _____

6. _____

EJERCICIO G

What are some things that you have heard about different animals from the news or other information sources? Write five sentences describing what "they say" («**Dicen que…**») about different animals in danger of extinction. Use the internet to find out some specific details to make your sentences more interesting.

EXAMPLE: Dicen que hay menos de 30,000 leones salvajes en Africa hoy día.

1. _____

2. _____

3. _____

4. _____

5. _____

EJERCICIO H

Palabras revueltas. Unscramble the names of the following animals to find a ninth animal hidden in the circles. (For this exercise, count LL as one letter.)

1. N E L Ó

2. O P T A

3. GIRET

4. ACAV

5. BALLACO

6. TORRIPE

7. TRANÓ

8. TOGA

Solución:

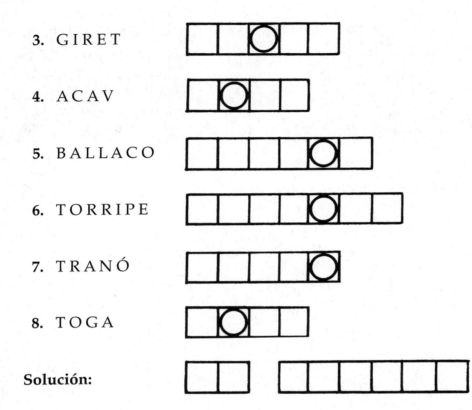

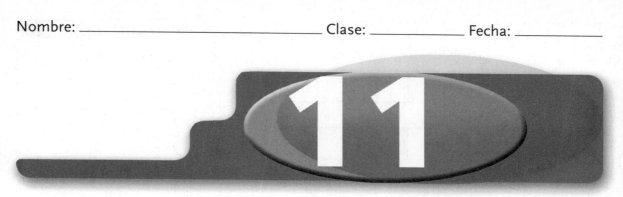

EJERCICIO A

What are the nationalities of the following people?

1. Isabel es _____.

2. Diego es _____.

© Perfection Learning® • No Reproduction Permitted

3. John y Susan son _____.

4. Wilfredo es _____.

5. Dolores es _____.

6. Nigel y Penelope son _____.

7. Francesco es _____.

8. Lisette es _____.

EJERCICIO B

At a party, you overhear the following conversation, but the music is loud and you miss some of the information. Use the clues to fill in the blanks with the missing words.

AKIKO: ¡Hola! Soy Akiko. Soy del Japón. Hablo _____.

ELENA: Buenas tardes. Me llamo Elena. Hablo ruso. Soy de _____.

Te presento a mi amigo, Chuy. Es _____, de la parte norte de México.

AKIKO: ¡Hola, Elena! ¡Hola, Chuy! Mi amiga María es de Portugal y ella habla _____. Chuy, ¿tú entiendes cuando ella habla?

CHUY: No mucho. Mi idioma, el _____ es similar, pero diferente al portugués; son dos idiomas distintos.

AKIKO:	Claro. Comprendo perfectamente bien. Tengo un amigo de la China que habla _____. ¡A veces la gente me pregunta si nosotros hablamos el mismo idioma!
MARISKA:	¡Qué locura! Yo no soy francesa, pero sí hablo _____. Es muy importante ser multilingüe, ¿no creen?
AKIKO y CHUY:	¡De acuerdo! Sí, da*, shuh**, hai***!

*   Yes in Russian

**   Yes in Chinese

*** Yes in Japanese

EJERCICIO C

Form sentences according to the example.

EXAMPLE: Jean/italiano/francés
Jean no es italiano, es francés.

1. yo/alemán/inglés

    _____

2. Ud./norteamericano/canadiense

    _____

3. tú/cubano/uruguayo

    _____

4. Wong/japonés/chino

    _____

5. Iván/alemán/ruso

    _____

6. María/portuguesa/española

_____

7. Nosotros/suizos/franceses

_____

8. Las muchachas/africanas/chinas

_____

9. El profesor/argentino/paraguayo

_____

10. Paulo/brasileño/portugués

_____

EJERCICIO D

Pasatiempo. Fill in the missing letters in each country. Then join the letters to find out where Mario is going for his vacation.

1. B R A S I __

2. F R A N C I __

3. E __ U A D O R

4. E S T A D __ S   U N I D O S

5. E __ P A Ñ A

6. H A I __ Í

7. __ L E M A N I A

8. C A N A __ Á

9. P __ R Ú

10. I N G __ A T E R R A

11. R U __ I A

12. M É X I C __

13. I T A __ I A

Mario va a: __ __   __ __ __ __ __ __   __ __ __   __ __ __

EJERCICIO E

By looking at the pictures, tell the nationality of the people mentioned.

1. Luigi es _____.

2. Mireille es _____.

3. Las señoras son _____.

4. Juan es _____.

5. Max es _____.

6. Pablo es _____.

EJERCICIO F

From the information on the maps, write the names in Spanish of the following countries.

1. _____ 2. _____

3. _____ 4. _____

5. _____ 6. _____

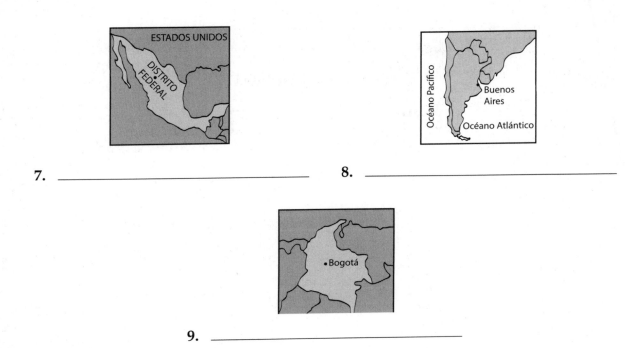

7. _____ 　　　　8. _____

9. _____

EJERCICIO G

Diálogo incompleto. A travel agent is helping a customer with her vacation plans. Take the part of the customer and complete the dialog.

Agente: Buenas tardes. ¿Qué desea?

Usted: _____

(Say that you have a two-week vacation and would like to travel somewhere.)

Agente: ¿Quiere Ud. hacer un viaje a Europa? Por ejemplo, a España, Francia o Italia?

Usted: _____

(Tell him that you don't have a lot of money.
You want to go to a tropical island where it's warm.)

Agente: Hay muchas islas en el Caribe. Por ejemplo, Puerto Rico, La República Dominicana...

Usted: _____

(Say that you like the idea. Ask him if you can leave tomorrow.)

Agente: Sí, claro. Voy a llamar a un hotel de San Juan para reservar un cuarto. ¿Está bien?

Usted: _____

(Tell him you agree. Say that you want to swim in the sea and sunbathe.)

Nombre: _____ Clase: _____ Fecha: _____

EJERCICIO A

A well-rounded education consists of classes from different subject areas. Classify the subjects into these main categories: **ciencias**, **humanidades**, **artes**, **otras**.

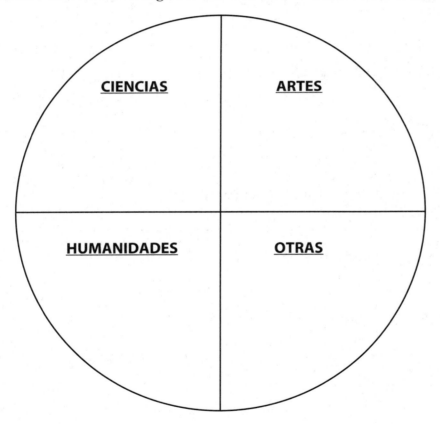

CIENCIAS   ARTES

HUMANIDADES   OTRAS

© Perfection Learning® • No Reproduction Permitted

EJERCICIO B

Answer the following personal questions about what you did yesterday after school at home.

1. ¿A qué hora llegaste de la escuela?

   _____

2. ¿Qué comiste para la cena?

   _____

3. ¿Qué comiste de postre?

   _____

4. ¿Con quién hablaste durante la cena?

   _____

5. ¿Qué hiciste después de la cena?

   _____

6. ¿Qué programas miraste en la televisión?

   _____

7. ¿Qué asignaturas estudiaste?

   _____

8. ¿Qué música escuchaste en tu habitación?

   _____